LES MIENS AUSSI, ILS DIVORCENT !

À la joie de vivre de Bastien,
au sourire de Valentine

Dans la même collection :
Je ne sais pas quoi lire !
J'écris mon journal intime
Chacun son look…
Sauvons la planète
Ado agenda
Réveillez-vous les mecs !
Collège, mode d'emploi
On n'est plus des bébés
Des mots pour dire…
Génération ordinateur
Pas si facile d'aimer…
Nous, on n'aime pas lire…
Ado Blues…
C'est pas facile de grandir !
Pourquoi tant d'injustice ?
Les années lycée…
L'amitié, c'est sacré !
Nous, les filles…
C'est quoi le spiritisme ?

LES MIENS AUSSI, ILS DIVORCENT !

FLORENCE CADIER
ILLUSTRÉ PAR
CLAIRE GANDINI

De La Martinière

Jeunesse

S O M M A I R E

DISPUTES ET TENSIONS

Drôle d'ambiance **10**
Comment est-ce possible? **14**
Difficile à comprendre **16**
Que m'arrive-t-il? **19**
Et moi dans tout cela **21**

Difficile de grandir **24**
Les héros
de mon enfance **26**
Jouer les justiciers **28**
Adieu l'enfance. **30**

LA SÉPARATION ET SES CONSÉQUENCES

Une réalité **34**
Vos parents sont d'accord **36**
Vos parents se disputent **38**
Où trouver de l'aide? **40**
Qui décide quoi? **42**
La loi vous protège **46**
Et si mes parents ne sont pas
mariés **48**
Pension alimentaire :
drôle de nom! **50**
Sur qui puis-je compter? **52**

Les copains
d'une même galère **54**
Les grands-parents **56**
La famille **58**
Nouveau nid **60**
D'une maison à l'autre **62**
Je ne suis pas
un facteur. **64**
Je ne suis ni mon père,
ni ma mère, je suis moi! **66**
Maux et mots **68**

UNE NOUVELLE VIE COMMENCE

Moment de calme **72**
Se serrer la ceinture **74**
À chacun ses réactions **76**
Le nouveau **80**
Première rencontre **82**
Le temps de se connaître **84**
On s'apprivoise **86**
Il fait partie du paysage. **89**
Ai-je toujours ma place
dans ce nouveau couple? . . . **90**

Nouvelles histoires,
nouveaux liens **92**
Noms et surnoms **94**
Et en plus, il a des enfants! **95**
Nouvelles naissances **98**
Les liens familiaux
de demain **100**

Bibliographie
et adresses utiles **102**

« ÇA N'ARRIVE QU'AUX AUTRES », PENSIEZ-VOUS.

Et pourtant, voilà que vos parents se disputent, se déchirent et, finalement, se séparent : vous rejoignez, malgré vous, la « famille » des enfants de parents séparés. Actuellement, cette situation concerne un couple sur trois en France. Vous vous sentez déboussolé, vous avez l'impression de perdre tous les repères qui ont jalonné jusqu'à présent votre vie quotidienne. Vous devez affronter des tensions, des tiraillements, des décisions juridiques qui vous paraissent abruptes. Vous entendez parler de pension alimentaire, de choix de résidence, d'avocats et de jugement sans savoir exactement ce que cela signifie. Vous souffrez de ne plus avoir vos deux parents près de vous, vous ne comprenez pas pourquoi ils se séparent.

Chaque histoire est un cas particulier car chaque couple est unique. Mais votre souffrance, vos questions sont les mêmes que celles de nombreux enfants de divorcés. Il vous faudra simplement un certain temps pour y apporter vos propres réponses. Petit à petit, le calme reviendra. De nouvelles histoires familiales se construiront et peut-être regarderez-vous le passé avec plus d'indulgence et d'espoir.

DISPUTES

À CHACUN
SES RÉACTIONS

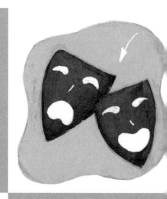

SUIS-JE
COUPABLE ?

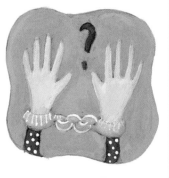

SE TENIR
À L'ÉCART

ET TENSIONS

LA MAISON TREMBLE

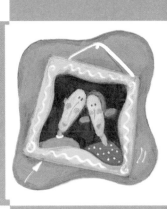

QUE S'EST-IL PASSÉ ?

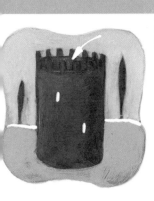

GRANDIR TROP VITE

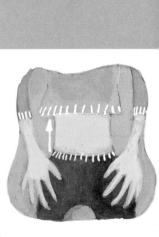

Pling, une pile d'assiettes qui explose sur le carrelage de la cuisine, clac, la porte de la chambre fermée à toute volée. La maison tremble sur ses fondations et vous, vous frémissez : vos parents se disputent une fois de plus.

Depuis quelque temps, l'ambiance à la maison est électrique. Maintenant, le moindre prétexte est bon pour une nouvelle rafale de cris : quand l'un des deux oublie d'acheter la baguette de pain, cela prend des proportions spectaculaires. Votre père a choisi de dormir sur le canapé et votre mère a des réunions qui se terminent de plus en plus tard. Et lorsqu'ils se retrouvent l'un en face de l'autre, ils sont survoltés. Vous vivriez *Independance Day* en direct que la tension ne serait pas moindre.

Ah, ils ont beau jeu, les parents, de vous faire de longs discours sur la patience, la tolérance. « Sois raisonnable, tu es la plus grande, laisse ton petit frère regarder son dessin animé, tu regarderas ton feuilleton ensuite », disent-ils, mais eux, en ce moment, ils ne vous donnent pas le bon exemple. Les jolis mots d'oiseaux qu'ils se lancent à la figure, la violence de leur regard vous révèlent qu'il y a un véritable problème dans leur couple. Ce n'est ni une pièce de théâtre ni le dernier épisode des « Vestiges de l'amour » auquel vous assistez mais bien la réalité, leur réalité.

Sans que le mot « séparation » ait été prononcé, vous sentez intuitivement qu'un drame familial se prépare.

Le quotidien devient bien difficile à vivre. Pris entre deux feux, vous osez à peine leur faire signer un contrôle de mathématiques où vous avez tout juste la moyenne, de peur de déclencher un nouveau conflit. Vous avez l'impression que votre vie au collège ou avec vos amis ne les intéresse plus. Plutôt qu'inviter Nicolas à passer l'après-midi chez vous, vous préférez aller jouer chez lui, au calme. Là, au moins, vous ne risquez rien.

Après une période d'échange de mots cinglants et de grands départs ratés, de vêtements jetés dans une valise puis rangés aussi vite dans le placard, ils ont installé la guerre froide. C'est parfois pire, pensez-vous. Certains parents prennent un malin plaisir à communiquer par petits mots : « Je te prie de me dire si tu vas chercher Caroline à la danse » ; d'autres s'ignorent superbement, sauf quand il s'agit de répondre à une invitation à dîner chez les Glamour chez lesquels ils n'iront bien entendu pas ensemble, ou de savoir qui ira chercher la voiture au garage. Les repas pris en commun peuvent parfois se dérouler dans le silence ou, au contraire, être truffés de paroles acides. Quand vous demandez un conseil à l'un, l'autre dit le contraire. Du coup, vous ne savez plus à qui vous adresser. Parfois, l'un des deux se résigne totalement et se drape dans le rôle de la victime, laissant à son conjoint le rôle du méchant. Il ne réagit plus et laisse les événements le porter. Parfois aussi, les deux s'affrontent et se révoltent. Cela peut être dans la violence, les cris, parfois les coups. Vous avez peur de cette montée d'agressivité, peur qu'elle ne se retourne contre vous, peur qu'ils ne se fassent du mal. Vous avez le sentiment qu'ils ne contrôlent pas du tout leur sentiment de haine, leur brutalité.

À votre grand désarroi, vos parents semblent sur le point de se séparer. Peut-être ont-ils tous les deux conscience de leur part de responsabilité dans cette crise, peut-être au contraire l'un d'entre eux rejette-t-il systématiquement la faute sur l'autre. Pourtant, les torts sont souvent partagés dans une rupture. Car elle est le fruit d'un échange entre deux personnes qui n'ont pas pu maintenir ou construire une relation qui les satisfasse.

COMMENT EST-CE POSSIBLE ?

Il peut arriver à des adultes de ne plus s'aimer ou de ne plus parvenir à s'entendre. Cela, vous le saviez. Toutefois, aujourd'hui il ne s'agit pas de n'importe quels adultes mais de vos parents. Et cette éventualité, vous ne l'aviez jamais envisagée. C'est bien arrivé à Camille et Marine, mais vous pensiez sincèrement être à l'abri de ces histoires-là. Il est toujours difficile d'imaginer que ses parents ne se supportent plus. Parfois, votre frère ou votre sœur vous exaspèrent mais vous n'allez pas pour autant les jeter dehors. Vos parents sont comme inséparables et indissociables à vos yeux et il est normal de ne pas envisager votre avenir sans les avoir tous les deux à vos côtés. Sans cesse, vous vous posez cette même question : mais que s'est-il donc passé ?

Il se peut que plusieurs années de vie commune n'aient pas soudé leur couple comme ils le désiraient et qu'ils ne partagent plus grand-chose. Le travail, la venue des enfants, les soucis et les joies qu'ils ont rencontrés, au lieu de les rapprocher, les ont fait évoluer de façon diamétralement opposée : ils ne vivent plus la même histoire d'amour qu'au début. Ils ont beaucoup de mal à trouver un accord sur leurs idées, leur façon de mener la vie au jour le jour, leur rapport à la société. Alors que votre mère adore prendre la parole pendant les repas de famille, votre père ne dit rien et lui reproche de trop parler. Confronté à un problème d'argent, votre père prend les décisions qui s'imposent immédiatement tandis que votre mère s'angoisse et se lamente. L'un aime la campagne et l'autre, pour tout l'or du monde, ne se passerait pas du ronronnement de la ville.

DIFFICILE À COMPRENDRE

De multiples raisons peuvent être à l'origine de cet éloignement, des raisons souvent complexes à analyser et qui leur sont très personnelles : cela fait partie de leur jardin secret et peut-être attendront-ils que le temps passe pour en parler. De même, personne, sauf eux, ne sait pourquoi ils ont choisi de vivre ensemble. Le lien qui les a unis et son évolution au fil du temps sont des questions bien compliquées à appréhender de l'extérieur. Certains ont même pu subir une pression de la part de leurs parents : ceux-ci n'acceptaient pas que leur fille ou leur fils ait des relations sexuelles en dehors du mariage. Pour échapper à l'emprise familiale et essayer de vivre leur vie comme ils l'entendaient, de jeunes couples se sont mariés sans réellement se connaître.

Si le couple que forment vos parents n'est plus aussi uni qu'auparavant, chacun devient plus disponible et ouvert à une nouvelle aventure. Par ailleurs, un adulte, comme un enfant, progresse tout au long de sa vie et il peut vivre un deuxième coup de foudre, une seconde histoire d'amour, différente de celle qu'il a vécue avec votre père ou votre mère, mais aussi forte et aussi belle. Cela peut suffire à provoquer la rupture. Marie se souvient que, du jour au lendemain, sa mère oubliait tout, avait le regard dans le vague, un jour souriante, le lendemain en larmes. Tout en sachant que quelque chose clochait, Marie ne trouvait aucune explication à ces sautes d'humeur. Jusqu'au moment où sa mère a craqué et fait ses valises. Dur à avaler, mais les tensions avaient enfin une explication. Aujourd'hui, Marie a retrouvé le sourire, sa

mère est heureuse et son père parle de plus en plus d'une certaine Fabienne.

Dans certains cas, les causes de rupture sont plus identifiables car plus dramatiques : l'un des conjoints ne supporte plus l'alcoolisme, la toxicomanie ou la violence de l'autre. Vous pouvez lire dans les journaux des faits-divers qui relatent des tragédies familiales : un père qui frappe ses enfants, une mère qui se barricade dans son appartement avec ses petits. Si tel est votre cas, vos parents ont besoin d'aide, tant sur le plan psychologique que social. Et pour vous ce sont des moments à vivre d'une grande violence morale, parfois même physique. Vous ne devez pas accepter ces situations et vous avez la possibilité de vous faire entendre auprès d'une assistante sociale ou d'un psychologue qui sauront vous écouter et vous aider. Ces personnes tiennent des permanences dans les collèges. Vous pouvez également vous adresser à votre mairie. Si vous subissez la violence de vos parents, téléphonez au numéro vert d'Enfance maltraitée (voir page 102).

HELP

QUE M'ARRIVE-T-IL ?

Devant un tel raz-de-marée, chaque personne réagit de manière différente, selon son caractère. Vous pouvez préférer la politique de l'autruche, la tête bien enfoncée dans le sable pour ne rien voir, ne rien entendre. Par peur de provoquer une autre catastrophe ou bien parce que la douleur est trop forte, trop difficile à supporter. À l'opposé, vous allez alerter la terre entière : tout le monde est au courant, de la concierge de l'immeuble au petit frère de votre meilleure amie. Vous vous sentez alors soulagé d'avoir pu raconter vos malheurs. D'autres vont tout simplement se révolter : cris, menaces de faire une fugue, supplications pour que vos parents restent ensemble, promesse de ne plus regarder des feuilletons à la télévision avant d'avoir fini vos devoirs, tout y passe! Il se peut aussi que vous vous sentiez complètement perdu, avec le sentiment d'être abandonné au milieu de ce conflit, ou encore envahi par la rage au point de détester tout le monde, père et mère compris. Vous devenez irascible. Vous délaissez votre travail scolaire, vous vous disputez avec vos amis, ne trouvant plus de plaisir dans la vie de tous les jours. Ou vous travaillez encore plus au collège, vous étourdissant dans les leçons, le sport, l'art.

Je vous aime

À toutes ces attitudes différentes, rien d'anormal. Vous exprimez le désarroi et le déchirement intérieur que vous éprouvez.

Vous vivez le conflit de vos parents comme deux parties de vous-même qui s'affrontent. Mais n'oubliez pas que, quoi qu'il advienne, vos parents resteront à tout jamais les deux êtres qui vous ont désiré et conçu.

De la même façon que votre œil gauche ne se séparera jamais de votre œil droit et que vos doigts resteront toujours dans le même ordre, ce que vous ont transmis vos parents dans un acte d'amour ne se scindera pas et ne pourra disparaître. Vos parents resteront toujours un couple parental vis-à-vis de vous.

Vous les aimez tous les deux et vous avez envie de le leur crier haut et fort. Faites-le! Cela leur rappellera peut-être que vous êtes là aussi, avec vos questions, votre souffrance. Cela leur remettra en mémoire l'engagement qu'ils ont pris envers vous, lors de votre naissance. Ils ne sont pas le centre du monde!

Un soir de cafard, alors que vous les entendez se disputer à propos d'un repas chez des amis, vous vous êtes posé ces questions : « Et si je n'étais pas né, ne vivraient-ils pas encore d'amour et d'eau fraîche ? » ou encore : « Est-ce ma bouderie de l'autre soir qui les a tant énervés ? Est-ce que mes disputes avec Fabien, mon frère, ont eu raison de leur patience et de leur amour ? »

Sur ces points, rassurez-vous. Ce qu'ils vivent là n'a rien à voir avec votre naissance. Ce n'est pas parce qu'ils annulent l'accord passé entre eux que l'amour qu'ils ressentent pour vous est remis en question. Pas de rapport non plus avec votre comportement : vous n'êtes pas le centre de leur relation et, même si vous décidez de frôler la perfection pour leur faire plaisir, cela ne changera rien à la situation.

Ce sentiment de ne rien comprendre, d'être tenu à l'écart tout en étant mêlé à une situation que vous ne maîtrisez pas vous fait ressentir de la culpabilité. La culpabilité, c'est ce sentiment diffus d'être responsable de ce que vivent vos parents.

Pourquoi le ressentez-vous ? Parce qu'il faut bien trouver un motif à leur dispute, à leur séparation. Parce que vous avez l'impression d'être une charge pour eux, en ces temps de conflits. Parce que vous êtes envahi par des émotions contradictoires qui sont parfois difficiles à assumer : des sentiments d'amour mais aussi de haine, de reproche, de compassion ou d'exaspération envers l'un ou l'autre de vos parents.

Vous pensez que votre mère est responsable des conflits : elle est invivable, se plaint sans arrêt, travaille trop ou, au contraire, elle ne sort pas assez, n'aime que s'occuper de son foyer. Pour vous, elle ne fait pas assez d'efforts pour être agréable à vivre. Et pourtant, vous avez envie de prendre sa défense quand votre père lui reproche son indifférence et ses différences.

À l'inverse, vous attribuez toutes les fautes à votre père. Il hurle sans raison, part sans crier gare. Vous le détestez à cause de cette violence qu'il laisse exploser. Mais vous avez encore en mémoire des moments de tendresse et de complicité avec lui, où il était aussi doux qu'un agneau. Alors, qui est ce père qui montre deux visages aussi différents, qui est cette mère qui ne sait plus se faire aimer ? Vous leur en voulez de ne pas être clairs dans leurs actes, de provoquer une confusion dans vos sentiments. Vous vous en voulez d'éprouver ces reproches, cette agressivité, ce trouble…

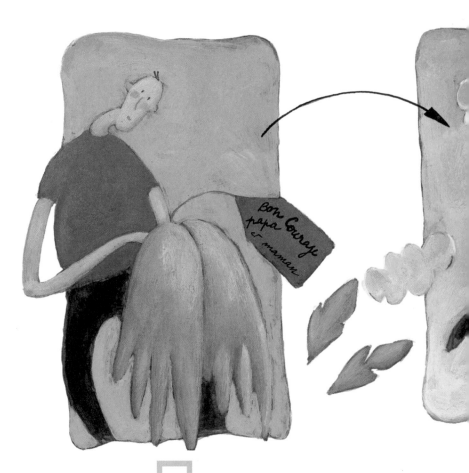

DIFFICILE DE GRANDIR

L'idée que vos parents ne s'aiment plus vous est insupportable. Le temps où vous vous sentiez en pleine fusion avec eux n'est pas si loin. Ils étaient alors les deux rocs solides sur lesquels vous pouviez compter, à qui vous pouviez tout demander. Leur vie vous appartenait. Vous les avez parés de toutes les qualités possibles, vous les avez admirés car vous aviez besoin de ressembler à ces gens formidables pour pouvoir grandir tranquillement.

Dans cette période doulou-reuse qu'est la séparation, vous devez accepter la perte de votre relation exclusive avec vos parents qui formaient un tout indissociable : Papa-Maman accolés, Papa-Maman considérés comme une seule et même per-sonne.

Désormais, il vous faut inventer un autre type de relation : une avec Papa, une autre avec Maman, et non plus avec les deux ensemble. Une expé-rience un peu précoce qui est compliquée par votre entrée dans l'adolescence. Dans cette période de pleine transformation de votre corps et de votre esprit, vous auriez besoin d'une relation stable entre vos parents afin de vous opposer à eux, de forger vos propres opinions sur la vie et d'acquérir votre nouvelle autonomie, en toute sécu-rité. Mais, si vos parents sont en train de se séparer, vous avez l'impression de vivre un désagréable retour en arrière. Leurs problèmes de couple deviennent les vôtres, vous n'arrivez plus à mettre la distance nécessaire pour vivre en dehors de leur tension et de leur dispute, vous avez du mal à dis-socier leur conflit des affrontements naturels que votre adolescence entraîne à leur égard.

LES HÉROS DE MON ENFANCE

Même si vos parents vous paraissent être une espèce à part, mettez-vous dans la tête qu'ils sont des gens comme les autres. Ils ont le droit de craquer, de se sentir désemparés, d'avoir besoin d'un soutien.

Lorsqu'ils se battent pour savoir qui va garder le fer à repasser ou l'intégrale des Beatles, cela vous semble ridicule. Vous ne pensiez pas qu'ils pourraient tomber si bas et se déchirer pour des détails plutôt infantiles. Mais chipoter sur ces broutilles permet souvent de cacher l'essentiel. Les objets sont, dans ces moments-là, investis d'une charge affective démesurée. Le fer à repasser devient celui-que-ma-mère-nous-a-offert-pour-la-naissance-de-Charlotte et les CD un puits de souvenir auquel ils se raccrochent, sans y renoncer. Quand on ne s'aime plus, on compte tout et le chantage n'est

jamais loin : « Si tu ne me laisses pas le congéla-
teur, tu ne verras pas Julie les mercredis ! »

Ils peuvent aussi avoir tendance à se tourner vers
vous, à chercher à vous attendrir, à trouver en vous
un allié qui pourra les conforter dans leur décision
de quitter l'autre, avec des phrases du genre : « Tu
es témoin que ton père a dit le contraire hier soir »
ou encore : « Écoute comment ta mère me parle »
ou, s'adressant à l'autre : « Ton fils, ta fille peut
confirmer que tu n'as pas voulu répondre à mes
questions ». Dans ce cas, vous vous sentez de plus
en plus perdu. Ce sont eux les adultes ! Essayez
pourtant d'avoir une réaction plus forte que la
leur : n'entrez pas dans leurs conflits, ne prenez
pas parti, vous risqueriez d'y laisser des plumes, de
vous sentir très mal à l'aise. Il est déjà assez difficile
d'entendre leurs disputes, surtout en cette période
où vous aimeriez bien qu'ils s'occupent de vous.

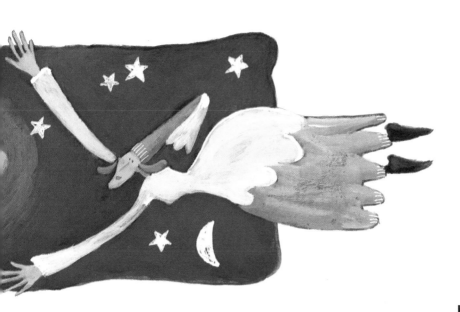

JOUER LES JUSTICIERS

Peut-être avez-vous envie de jouer les justiciers et de prendre la défense de celui qui vous semble le plus faible. Pourtant, ce n'est en aucun cas votre rôle, au même titre que vous détestez leur manie d'intervenir quand vous vous disputez avec votre frère ou avec votre sœur. Dans un conflit, il n'y a jamais un méchant tortionnaire et une gentille victime. Les choses sont plus compliquées et font souvent appel à des événements que vous n'avez pas vécus, qui font partie de leur histoire. Mais ces moments de grande tension exacerbent votre désarroi.

Vous pouvez prendre plus spontanément la défense de votre père ou de votre mère, selon vos affinités avec l'un ou avec l'autre. Cela dépend de votre propre histoire, celle que vous avez tissée depuis la petite enfance avec vos parents. Les attirances se jouent sur des points de caractère que vous avez en commun ou en opposition et sur des mécanismes psychologiques dont vous n'êtes pas conscient.

Désemparés devant l'échec de leur couple, certains adultes se réfugient dans un chantage à l'amour. Ils cherchent à se rassurer en quémandant de l'affection chez leur enfant, sous-entendant ainsi des réflexions comme : « Tu préfères qui, ton père ou ta mère? À qui donnes-tu raison? Qui a tort? »

Protégez-vous en ne manifestant aucune préférence. Un baiser à l'un, un baiser à l'autre. Ce sont vos parents et, même si vous les aimez de façon différente, en aucun cas la profondeur de votre amour n'est à prouver. Dites-leur que vous les portez de manière égale et équitable dans votre cœur et qu'il vous est impossible de choisir entre l'un et l'autre.

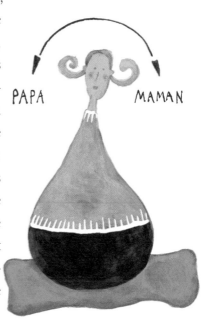

ADIEU L'ENFANCE

L'enfance se termine et avec elle s'envole l'illusion que jamais rien de mal ne peut vous arriver. C'est une page difficile à tourner.

Vous apprenez à faire le deuil de cette enfance, à renoncer à être éternellement une petite fille ou un petit garçon. La vie vous aspire vers l'extérieur, vous entraîne à découvrir ce qui se passe autour de vous. D'explorateur de jardin, vous devenez explorateur de votre vie.

Vous vous sentez assez grand pour vivre indépendamment de vos parents, même si vous savez que cela n'est pas encore possible.

Vous estimez pouvoir choisir vos lectures, les films que vous avez envie de voir, les gens que vous désirez fréquenter, sans qu'ils soient nécessairement du goût de vos parents.

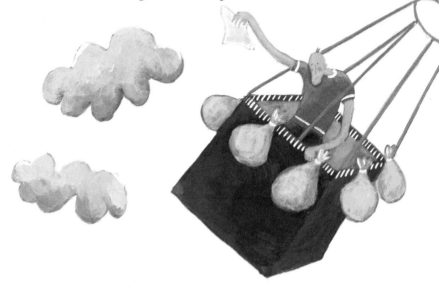

La façon dont vous regardez vos aînés change aussi. De personnages idéaux, inattaquables et intouchables, vos parents deviennent, au fil du temps, des êtres dotés de qualités et de défauts comme d'autres personnes. Vous critiquez leur manière de vivre et vous avez du mal à respecter ce qu'ils vous imposent encore. Et peut-être, à cause de cette séparation, êtes-vous obligé de grandir un peu plus vite que vos copains.

Vous allez vivre chez l'un de vos parents, d'une manière souvent différente de celle que vous avez connue. Vous allez apprendre à vous adapter à des situations parfois difficiles, prendre plus d'autonomie dans vos relations avec eux. Cette rupture marquera pour vous la fin de votre petite enfance.

LA SÉPARATION E

**UN WEEK-END
SUR DEUX**

**MES
COMPLICES
DU MOMENT**

**ENTRE
DEUX FEUX**

SES CONSÉQUENCES

UN ACTE LÉGAL

D'ACCORD
OU PAS
D'ACCORD ?

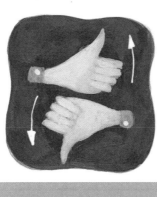

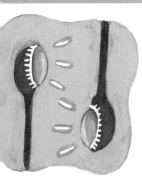

J'AI MAL
AU VENTRE

UNE RÉALITÉ

« **Q**uand une situation devient intolérable et invivable, le divorce est un moindre mal », disait Françoise Dolto, célèbre psychanalyste. C'est un acte légal qui clarifie une situation difficile à vivre pour les parents et les enfants et qui tente d'apporter ce qui semble la meilleure solution pour les uns et pour les autres. Cet acte est légalisé par un juge aux affaires familiales, qui est lui-même soumis à la loi qui règle la société.

L'une des préoccupations essentielles du juge est de défendre les intérêts des enfants, de faire en sorte que leurs droits soient respectés : droit à l'éducation, aux soins, à un domicile décent, à l'affection et à la protection de leur santé morale et physique. Tout va être réfléchi et décidé dans ce sens.

Lorsque vos parents se séparent et divorcent, le juge, représentant de la loi, reconnaît officiellement leur état de mésentente et cherche, le plus souvent avec eux et leur avocat, des solutions aux problèmes existants.

L'acte de divorcer les libère de leurs devoirs l'un envers l'autre, mais en aucun cas de leurs devoirs envers leurs enfants.

Il existe actuellement plusieurs formes de divorce dont les termes juridiques et les nuances peuvent être un peu complexes. Aussi, en résumé, il est plus facile d'aborder les cas de divorce les plus courants.

VOS PARENTS SONT D'ACCORD

Vos parents sont tombés d'accord pour divorcer. Ils vont donc choisir entre :

– Le divorce par consentement mutuel qui existe depuis la loi du 11 juillet 1975. Ce divorce, qui se conclut généralement en neuf mois, signifie que vos deux parents acceptent de divorcer et se sont mis d'accord préalablement sur tout ce qui concerne les conséquences de la séparation : la résidence des enfants, la pension alimentaire, le partage de leurs biens, etc. Généralement, un seul avocat les assiste mais ils

peuvent avoir chacun le leur. Aucun reproche n'est formulé devant le juge. La ou les raisons pour lesquelles ils divorcent sont gardées secrètes devant la justice. Le juge aux affaires familiales vérifie que les accords passés entre vos parents garantissent les intérêts de chacun d'entre eux et les vôtres et il entérine leur décision. Rien ne vous empêche, cependant, de leur demander pourquoi ils se séparent.

– Le divorce demandé par l'un des parents et accepté par l'autre : dans ce cas, comme pour le divorce par consentement mutuel, le juge n'a pas à savoir qui est responsable de la séparation.

En principe, celui qui demande le divorce doit faire une requête auprès du tribunal où il explique pourquoi la vie commune est devenue impossible. Chacun de vos parents reconnaît avoir des torts dans la séparation. C'est un peu une autocritique de leur couple.

La loi autorise, dans ce cas, le tribunal à ne pas énoncer les fautes et les torts que les deux époux se reprochent. Et lorsque le divorce est prononcé, en général dans un délai de trois à six mois, vos parents s'étaient déjà mis d'accord sur tout ce qui concerne votre avenir, avec l'aide du juge et cette fois-ci de leurs avocats respectifs. S'il reste des points de divergence, c'est au juge aux affaires familiales de trancher.

VOS PARENTS SE DISPUTENT

Dans ce cas, divorcer devient plus compliqué et demande plus de temps. Ce sera :

– Le divorce pour faute : le mari et la femme cherchent à établir des fautes l'un à l'encontre de l'autre, à démontrer que certaines des obligations découlant du mariage n'ont pas été respectées, ce qui a rendu la vie commune intolérable.

Ce peut être la violence, l'alcoolisme, l'adultère (quand l'un d'entre eux a un amant ou une maîtresse), l'abandon du domicile conjugal, etc.
Ce divorce est prononcé aux torts exclusifs de l'un, de l'autre ou aux torts partagés, ce qui signifie que des fautes ont été relevées à l'encontre de chacun de vos parents.

Au cours de cette procédure, vos parents doivent démontrer et prouver devant la justice les torts qu'ils ont subis de la part de leur conjoint. Tout ce qu'ils se reprochent sera notifié dans le jugement de divorce, à moins qu'ils ne demandent d'un commun accord que cela ne le soit pas. Contrairement aux deux précédentes formes de divorce, c'est en général le juge qui décide de l'avenir des enfants. Sauf éventuel accord des parents, il statue sur la résidence, le droit de visite et d'hébergement du parent qui n'a pas la résidence, la pension alimentaire et ce, toujours dans l'intérêt de l'enfant.

Sachez que, quel que soit le cas auquel vous êtes confronté, vous pouvez demander à être entendu. Vous avez le droit d'être assisté par un avocat et d'être entendu par le juge aux affaires familiales. Depuis la loi du 8 janvier 1993, « tout enfant capable de discernement peut être entendu par le juge ». Un enfant de cinq ans peut être auditionné par le juge qui lui expliquera exactement ce qui se passe, l'écoutera et prendra les décisions qui seront les meilleures pour lui. Sachez aussi que vous ne pourrez décider de rien, seul le juge ayant cette autorité, mais que vous serez entendu. De plus, la loi interdit aux enfants, même majeurs, de témoigner contre l'un de leurs parents.

Pour être reçu par le juge aux affaires familiales, votre demande doit passer soit par vos parents, soit par la Maison de l'avocat (il y en a une dans chaque grande ville) ou par le bâtonnier (représentant de l'Ordre des avocats), qui désignera un avocat pour vous assister. Vous pouvez également effectuer cette démarche tout seul auprès du juge

chargé de l'affaire et demander à une personne de votre choix de vous assister.

Cette partie doit vous paraître un peu ardue à comprendre mais il est important, pour un jeune citoyen, de connaître ses droits et ses devoirs. Quand Adrien a compris que le juge était là pour protéger ses parents, ses frères et sœurs des déchirements dus à la séparation et qu'il les aidait à prendre des décisions justes les concernant, il s'est senti très soulagé. « Je croyais que passer devant un tribunal signifiait qu'on risquait la prison. Mais le juge m'a tout expliqué et rassuré. J'avais eu très peur pour mes parents. »

◆ QUE SE PASSE-T-IL SI MES PARENTS NE TROUVENT PAS D'ACCORD ?

Le juge aux affaires familiales tranche et prend une décision finale que vos parents seront obligés de respecter. Cette décision sera toujours prise dans votre intérêt. Le juge examinera le dossier et demandera, si nécessaire, une enquête sociale avant de prendre sa décision.

JUGE

QUI DÉCIDE QUOI ?

Depuis la loi du 8 janvier 1993, vos deux parents continuent, une fois le divorce prononcé, à exercer en commun l'autorité parentale. Cela signifie qu'ils ont tous deux les mêmes droits et les mêmes devoirs envers vous et que les grandes décisions concernant votre vie doivent être prises à deux : cela est valable pour l'établissement d'un passeport, l'inscription dans une école privée et même le choix de la religion (si vos parents n'ont pas la même religion et que l'un des deux souhaite votre conversion dans sa pratique), et ce jusqu'à la majorité.

Votre résidence sera confiée à celui des parents qui a obtenu votre garde, l'autre ayant un droit de visite et d'hébergement. Très souvent, les premier, troisième et cinquième week-ends du mois (c'est-à-dire tous les quinze jours) sont passés avec le parent non « gardien » ainsi que la première moitié des petites et des grandes vacances les années

PARENT « GARDIEN »

paires, la seconde moitié les années impaires. Si vos parents habitent dans des villes différentes, le droit de visite et d'hébergement se déroulera sur des périodes plus longues mais moins fréquentes. Rien ne vous empêche, une fois de plus, d'en parler avec eux, d'exprimer vos désirs devant le juge ou un avocat. Ceux-

ci seront entendus, pas nécessairement suivis d'effet car le juge est seul habilité à prendre la décision finale. Le magistrat évite toujours de séparer les frères et les sœurs. À moins d'un accord des parents et des enfants concernés, vous resterez donc tous ensemble.

Il évite également que vous ne changiez d'appartement, de quartier, de collège ou de ville en milieu d'année scolaire. Parfois, certains parents choisissent la résidence alternée : une semaine chez l'un, une semaine chez l'autre, ou tous les quinze jours. Il faut alors que les habitations de vos parents soient proches pour que vous puissiez rester dans la même école, et aussi qu'ils s'entendent bien. Cette formule reste, cependant, peu courante. Traditionnellement, la résidence de l'enfant est confiée à la mère. Depuis la nuit des temps, chez l'espèce humaine et animale, la mère nourrit et

élève son bébé : elle l'allaite, le berce, le surveille, lui apprend la propreté. C'est ensuite que l'enfant se tourne vers les autres, la vie en communauté et que le père tient son rôle de socialisation. Par ailleurs, jusqu'à une époque récente, les femmes travaillaient moins et pouvaient davantage s'occuper de leurs enfants. Mais les rôles sociaux ont évolué et de plus en plus de pères crient à l'injustice. Pourquoi ne seraient-ils pas capables, au même titre qu'une mère, de s'occuper de leur progéniture? Certains même l'ont prouvé et ont obtenu la garde de leur enfant. Les juges réfléchissent maintenant différemment et si un père a, par exemple, un emploi qui lui donne plus de disponibilité que son ex-femme et qu'il demande la garde de son enfant, il peut l'obtenir. L'âge de l'enfant entre aussi en ligne de compte dans ces jugements.

◆ LES DÉCISIONS CONCERNANT L'ENFANT LORS D'UN JUGE-
MENT DE DIVORCE SONT-ELLES DÉFINITIVES?

Non, le partage de l'autorité parentale, la garde de
l'enfant, le montant de la pension alimentaire, le
droit de visite et d'hébergement peuvent être modi-
fiés si un élément nouveau comme un déménagement, une situation de chômage survient. Sur une
requête de l'un ou de l'autre des parents, le juge
va statuer de nouveau et ce, toujours dans l'intérêt
de l'enfant.

Les parents de Charles ont divorcé quand il avait
dix ans. Il se souvient que sa mère, qui avait
obtenu sa résidence, désirait changer totalement
d'environnement pour marquer un nouveau départ.
Elle avait trouvé un appartement très éloigné de
l'ancien. Charles aurait dû logiquement quitter son
école, ses amis, en pleine année scolaire. Le juge,

en accord avec ses parents, a décidé de le laisser chez son père, qui gardait le domicile conjugal, jusqu'à la fin de l'année scolaire. « Cela a été plus facile pour moi, raconte Charles. Je n'ai pas été obligé de tout laisser du jour au lendemain et j'ai pu m'habituer, petit à petit, à ma nouvelle vie. Et puis, je n'ai dit que beaucoup plus tard à mes copains que je déménageais. Cela aurait été trop dur d'expliquer tout en même temps : le divorce, le déménagement… »

LA LOI VOUS PROTÈGE

En effet, comme Charles le souligne, l'adaptation à une nouvelle vie doit s'opérer doucement. Ce qui n'est pas toujours facile après cette vaste tornade que vous avez subie. Alors, essayez de vous tenir, vous et vos parents, à une régularité quant aux week-ends et aux vacances.

Tout d'abord, parce qu'il est plus facile de respecter la loi, elle est là pour protéger votre famille et sert de rempart en cas de désaccord entre vos parents. S'ils se disputent sur les périodes de vacances ou le montant de la pension, il leur suffit de se reporter au jugement de divorce et de suivre ce qui a été énoncé par le juge.

Cela vous permettra aussi d'édifier de nouveaux projets. Ce qui peut vous paraître rigide aujourd'hui vous aidera à vous projeter dans l'avenir : inviter des amis à dormir chez vous, organiser des sorties au cinéma et une boum pour votre anniversaire. Si votre père préfère la nature à la ville, rien ne vous empêche d'organiser un week-end sur deux des balades en bicyclette et, le suivant, des sorties au musée avec votre mère. Apprendre à s'adapter à des styles de vie différents vous permettra d'acquérir une grande souplesse d'esprit. Ce qui est bon pour votre père ne l'est pas nécessairement pour votre mère. À vous d'apprendre, avec eux, à vous accorder sur cette vie quotidienne nouvelle. Ce cadre organisé vous aidera à vous reconstruire, à poser de nouveaux repères. Une fois le système bien établi, à vous de le modifier si vous le désirez, en discutant avec vos parents. Si vous trouvez un accord à trois, rien ne vous empêche d'aménager le cadre de vie déterminé par la loi.

ET SI MES PARENTS NE SONT PAS MARIÉS ?

Vos parents ne sont pas toujours passés devant monsieur le maire pour vivre ensemble et faire des enfants. De plus en plus de couples vivent en union libre. La société a évolué, et nombreux sont les couples qui n'éprouvent pas le besoin d'entériner leur amour par un acte légal. Ce qui ne veut pas dire qu'ils n'ont aucun devoir envers vous. La protection et les intérêts des enfants de couples non mariés sont les mêmes que ceux des enfants de couples mariés.

Depuis la loi du 8 janvier 1993, l'autorité parentale est exercée en commun si les deux parents font chacun la démarche de reconnaître leur enfant à la mairie avant le premier anniversaire de celui-ci et qu'ils vivent ensemble à cette époque. Elle est également exercée en commun vis-à-vis des enfants nés avant 1993 si les parents vivaient ensemble au moment de l'entrée en vigueur de la loi (soit au mois de janvier 1993). En revanche, si les parents se sont séparés avant cette date, la mère exerce seule l'autorité parentale et décide de la résidence de l'enfant dans le cas d'une séparation. Le père, pour faire valoir ses droits, doit saisir le juge aux affaires familiales. Celui-ci peut modifier les conditions d'exercice de l'autorité parentale et décider d'un exercice conjoint. Si tel n'est pas le cas, il peut accorder un droit de surveillance (sorte de droit à l'information) au parent qui n'a pas l'autorité parentale mais ne peut, en aucun cas, lui refuser un droit de visite et d'hébergement, sauf pour motifs graves. Dans tous les cas, le parent chez lequel l'enfant ne réside pas doit contribuer à son entretien. À défaut d'un accord entre les parents sur ce versement, la demande doit être faite auprès du juge qui décidera du montant de la pension alimentaire.

Contrairement aux parents mariés qui divorcent et sont soumis à une loi, les parents concubins ne sont pas obligés de passer devant un juge.

◆ QUE SE PASSE-T-IL EN CAS DE DÉSACCORD?

Si vos parents arrivent à s'accorder, le juge n'interviendra pas dans leur séparation. Mais s'ils se déchirent à votre sujet, l'un des deux peut saisir le juge aux affaires familiales qui, alors, statuera. Comme pour les enfants de couples mariés, vous pouvez également faire une démarche.

PENSION ALIMENTAIRE : DRÔLE DE NOM !

Une des conséquences du divorce est que le parent non gardien a le devoir de participer à votre éducation et à votre entretien. Pour cela, il verse une pension alimentaire (indexée sur le coût de la vie) à l'autre parent, calculée en fonction des revenus et charges de chacun et des besoins de l'enfant. Ceux-ci ne seront pas les mêmes selon son âge. Donner une pension, c'est agir en personne responsable. Certains d'entre vous, sachant que le parent non gardien a des difficultés financières, se sentent coupables et se disent qu'il lui coûte cher. Il faut savoir que cette pension est tout d'abord un devoir juridique dont le principe est posé par la loi et le montant fixé par le juge aux affaires familiales en cas de désaccord entre les parents. C'est aussi, pour votre parent non gardien, la marque de son engagement envers vous.

Si votre parent non gardien ne peut pas payer, cela ne signifie pas un manque d'intérêt pour votre vie. C'est que lui-même est dans une période d'incapacité matérielle. Certaines difficultés, comme le chômage, ne peuvent pas toujours être résolues immédiatement. Reconnaître cet état, en être conscient, n'est pas porter un jugement sur votre parent mais apprendre à regarder votre père ou votre mère comme un être faisant et ayant fait ce qu'il a pu.

◆ QUE SE PASSE-T-IL EN CAS DE NON-PAIEMENT DE LA PENSION ALIMENTAIRE?

Celui qui a votre garde va voir un huissier de justice dont le rôle est de faire exécuter le jugement. Il peut faire une saisie sur salaire, sur un compte bancaire. La Caisse d'allocations familiales peut verser une allocation de soutien familial, d'un montant de 471 francs par mois et par enfant. Elle se chargera de récupérer cette somme auprès de celui qui la doit. Le parent gardien peut toujours, comme le parent non gardien, saisir le juge aux affaires familiales qui a la possibilité d'augmenter ou de diminuer le montant de la pension.

Vous éprouvez du chagrin, incontestablement. Et vous vous posez la question suivante : « Et maintenant, sur qui puis-je compter ? » Vous avez le sentiment d'une trahison. Pourtant, vous pourrez toujours compter sur vos deux parents, mais séparément ! Vous aurez peut-être des rapports privilégiés avec l'un ou l'autre : avec votre mère qui semble mieux comprendre vos réactions et fait preuve de plus d'indulgence, ou avec votre père qui vous paraît plus proche maintenant qu'il est dégagé de ses conflits avec sa femme. Vous découvrez vos parents sous un jour nouveau et vos rapports évoluent sur un mode plus adulte.

A contrario, les tensions que l'un ou l'autre ressent peuvent être encore très présentes. En retrouvant leur liberté, vos parents peuvent se sentir perdus, déboussolés et devenir difficiles à vivre. Encore sous le choc de la séparation, ils n'ont plus la patience d'antan. Votre mère ronchonne à tout bout de champ et votre père ne parle plus beaucoup. Leurs défauts, qui se trouvaient noyés dans la masse d'une vie familiale, sont désormais beaucoup plus visibles. Certains parents sont, face à l'échec de leur couple, envahis par la colère et peuvent avoir des comportements totalement anormaux : ils n'ont plus envie de s'occuper de vous, se sentent déprimés, donnent facilement des claques et, ne pouvant dire à leur ex-conjoint ce qu'ils ressentent, vous donnent l'impression de se venger sur vous.

Dans cette situation, celui avec qui vous vous sentez en confiance peut vous aider à régler ces conflits. Vous pouvez aussi essayer d'expliquer calmement à l'autre parent que vous n'êtes pas responsable de ce qu'il vit et que vous avez besoin de paix avec lui pour retrouver votre équilibre.

Ce qui peut l'aider aussi à reprendre pied. S'il n'y arrive pas et que votre vie devient impossible, contactez la Maison de l'avocat pour obtenir un rendez-vous avec le juge aux affaires familiales. Celui-ci pourra décider de mettre de la distance entre vous et votre parent.

Très souvent, dans ces périodes-là, on se rapproche de ceux qui ont vécu les mêmes expériences, les copains dont les parents ont divorcé. Cette tendance à se regrouper en clan permet de mieux rebondir vers autre chose. À plusieurs, on se réchauffe, on rassemble ses forces, on ne se sent plus seul face à cette situation difficile. Eux, au moins, ne vous regardent pas avec pitié : « Ma pauvre, ce n'est pas drôle ce que tu vis », ou avec curiosité. Il y a toujours un bon copain pour vous poser des questions impertinentes : « Alors, ça te fait quoi le divorce de tes parents? T'es triste? Tu vas habiter où? » Questions auxquelles vous n'avez pas toujours envie de répondre! Vous étendre sur vos états d'âme devant ceux qui vous paraissent être une bande de chacals est au-dessus de vos forces.

Tandis qu'avec vos « complices » du moment, vous êtes sur la même longueur d'ondes. Ils donnent leurs propres réponses à vos questions, vous font part de leurs expériences et vous prêtent une oreille compréhensive. Et même si cela ne résout pas toutes vos difficultés, vous vous sentez protégé. Ces amis-là reconnaissent votre souffrance.

Virginie, lors du divorce de ses parents, s'est réfugiée chez une de ses amies. « Je n'en pouvais plus. Si Sophie ne m'avait pas accueillie, j'aurais fugué. Mes parents se disputaient sans cesse, ils se bagarraient. Un matin, ma mère s'est réveillée avec un œil au beurre noir. Elle m'a expliqué qu'elle s'était cognée dans une porte. Mais je savais qu'elle me mentait car je les avais entendu crier. Même moi, j'ai eu peur de prendre un coup lorsqu'ils entraient tous deux dans des rages folles. J'avais l'impression que rien ne pouvait les arrêter. La mère de Sophie est intervenue et leur a proposé de me recevoir pendant quelque temps. Mais maintenant, j'ai peur de rentrer à la maison. Chez Sophie, je me sens hors de danger. »

LES GRANDS-PARENTS

Les grands-parents sont les racines, au propre et au figuré, de votre vie. Vous êtes leur descendance et le lien qui vous attache à eux est durable et profond, comme celui qui existe avec vos parents. À la différence qu'ils sont, en cet instant, plus rassurants puisque vos relations affectives avec eux ne sont pas perturbées.

Vos grands-parents étanchent les grandes vagues qui vous submergent. Avec de petites attentions comme le gros gâteau au chocolat qui vous rappelle les dimanches de votre enfance, quand tout allait bien, ou un petit billet glissé dans une de vos poches, avant que vous partiez : « Tiens, c'est pour toi. Tu t'achèteras quelque chose dont tu as envie. » Une manière pour eux de vous dire qu'ils vous aiment et qu'ils sont présents.

Certains prendront parti ouvertement pour leur fils ou leur fille en train de divorcer. Aucun parent n'aime voir ses enfants souffrir. Laissez-leur le temps, à eux aussi, de digérer cette épreuve. Ne soyez pas trop sensible à des attitudes ou à des mots qui peuvent dépasser leur pensée et qui sont avant tout le reflet de leur souffrance. Ces mots font sans doute aussi écho à leur propre histoire avec votre père ou votre mère mais ne doivent pas mettre en danger vos relations avec les uns et les autres.

LA FAMILLE

Tante Christine et oncle Pierre, qui totalisent vingt-cinq années de mariage et quatre enfants, sont des piliers contre lesquels vous aimez vous réfugier. Là, au moins, vous revivez une vie de famille. C'est une période où vous renouez avec vos cousins-cousines qui, finalement, ne sont pas aussi enfants gâtés et pénibles que vous aimiez à le penser. Tante Christine prête une oreille attendrie à vos problèmes et peut même aller jusqu'à vous plaindre. Quant à oncle Pierre, il sait remettre les pendules à l'heure quand cela se montre nécessaire. Ce sont des adultes extérieurs à la tempête ambiante, sur qui vous pouvez compter.

Mais le tableau n'est pas toujours aussi rose. Dans certaines familles, une séparation peut sonner le moment des grands règlements de comptes. Celui qui part est décrié et la famille en profite pour déverser ses rancœurs. Elle se déchaîne en protégeant sa victime et, vous, vous vous sentez très mal à l'aise. À Noël dernier, vous avez encore le souvenir de tante Bertille, la sœur de votre père, allant faire du shopping, bras dessus bras dessous, avec votre mère. Et voilà qu'elle est traitée pire qu'une voleuse. Et votre père profite du cocon familial pour se faire dorloter un peu. Il redevient le petit garçon, le petit frère qu'il faut consoler.

« Et si, finalement, ils avaient raison? Ma mère n'a-t-elle pas tort? » vous demandez-vous. Cela sème le doute dans votre tête et vous recommencez à chercher des excuses, des raisons, sans trouver de réponses...

Bouchez-vous les oreilles et n'écoutez pas les médisances. Ce ne sont pas vos histoires. Le temps apaisera les passions et les ressentiments s'atténueront lorsque vos parents retrouveront un équilibre dans leur vie. Mais tentez de garder des relations avec les différents membres des deux parties de votre famille. Si l'un de vos deux parents désire rompre avec sa belle-famille, cela est son désir et pas nécessairement le vôtre. Il se peut qu'il ait besoin, pour se reconstruire, de se dégager pendant quelque temps de toute relation avec eux. S'il vous demande de faire comme lui, vous n'avez pas à accéder à sa volonté. Vous devez, désormais, pouvoir faire face et refuser les demandes de vos parents qui vous paraissent contraires à vos sentiments ou à vos envies.

NOUVEAU NID

Il s'agit désormais de s'habituer à une nouvelle vie, de recréer autour de vous un nouveau décor, des endroits où il fait bon vivre.

Soit vous restez dans le même appartement et il s'agira de combler le vide que l'absent aura laissé. Une photographie, son parfum dans un placard, un vêtement oublié vous serreront le cœur. N'essayez pas d'enterrer ces sentiments. La réalité est là : quelqu'un vous manque et c'est difficile à vivre. Accrocher sa photo au-dessus de votre bureau, mettre un objet lui appartenant sur une de vos étagères vous aidera sûrement à passer ce cap.

Si vous changez d'appartement, plus rien ne vous rappellera votre passé et se faire un nouveau nid demande du temps.

Dans la maison où vous irez un week-end sur deux, emportez des objets que vous aimez, tapissez votre nouvelle chambre d'affiches pour recréer un nouveau chez-vous. Demandez à votre père ou à votre mère d'inviter vos amis chez eux, cela contribuera aussi à bâtir vos nouvelles fondations.

Parfois, la tempête fait rage : vous perdez tous vos repères lors du déménagement. Tout est à refaire : nouvel espace, nouveaux amis, nouveau collège. Armez-vous de courage et foncez vers les autres.

Cela paraît être le seul moyen de renouer avec votre vie de jeune fille ou de jeune homme, cette vie qui doit être tournée vers la société. Inscrivez-vous dans des clubs sportifs proposant des activités d'équipe. C'est un excellent moyen de faire de nouvelles connaissances.

D'UNE MAISON À L'AUTRE

Ces moments où vous partirez le week-end voir celui chez qui vous ne vivez pas peuvent être des instants de joie et d'angoisse mêlées. Joie d'aller voir celui que vous n'avez pas vu depuis quinze jours, angoisse ou pitié de laisser l'autre seul, tristesse d'abandonner, à la fin du week-end, celui ou celle que vous ne reverrez pas pendant deux semaines. Vous n'êtes pas loin de vous sentir indispensable dans la vie de ce parent resté seul et vous avez envie de le préserver de sa solitude. Pourtant, persuadez-vous que votre départ ne détruira personne, qu'ils doivent assumer leur sentiment, leur tristesse puisqu'ils ont choisi de vivre de cette façon.

Souvent, ils vous assailliront de questions, mine de rien : « Qu'as-tu fait ce week-end ? C'était bien chez Maman ? À quelle heure t'es-tu couché ? » Curiosité bien légitime puisque vous avez vécu vingt-quatre heures ou plus en dehors de leur regard. C'est un peu comme lorsque vous rentrez du collège ou de chez une amie et qu'on vous questionne. À la différence que, dans ce cas-là, celui qui est resté seul aimerait en savoir plus, pour se rassurer (tout se passe bien même lorsque je ne suis pas présent). Cela peut être aussi pour dénigrer, trouver la faille qui pourra lui faire dire : « Ah, quand il n'est pas avec moi, cela ne va pas du tout. » Une façon de se rassurer quant à l'importance de sa présence dans votre vie quotidienne. Ou, tout simplement, pour garder l'illusion que la famille continue à exister. De votre côté, vous n'avez pas toujours envie de raconter. C'est une partie de votre vie que vous ne voulez pas partager avec celui qui n'est pas là.

De la même manière que vous ne racontez pas tout ce qui se passe au collège ou avec vos amis, vous voulez préserver ces moments d'intimité avec celui que vous voyez de temps en temps. Ce n'est pas que vous ayez quelque chose à cacher. Simplement, c'est votre vie, celle qui est en dehors de l'un et avec l'autre.

À l'inverse, si vous demandez à vos parents un respect de cette intimité, vous leur devez, en retour, d'être responsable de vos paroles et de vos actes. Évitez ce genre de réactions infantiles, qui ne sont autres que du chantage : « Chez Papa, je peux me coucher une heure plus tard » ou « Maman, elle, ne m'oblige pas à faire mon lit ». C'est le meilleur moyen de les monter l'un contre l'autre ou de les mettre en colère contre vous, ce qui n'est pas nécessairement ce que vous recherchez.

JE NE SUIS PAS UN FACTEUR !

Dans la pensée et le comportement des parents, il se peut que l'enfant devienne une sorte de trait d'union. Ils demandent à leur enfant de faire l'intermédiaire et, si leur conflit initial n'est pas réglé, les disputes continuent à travers lui. Nicolas se souvient avoir transporté des lettres que ses parents s'envoyaient par son truchement. Très gêné de jouer au facteur, il déposait la lettre sur une table, attendant que le parent concerné la découvre. Et quand celui-ci lisait la lettre, Nicolas avait droit au commentaire en direct. Jusqu'au jour où, excédé, il leur a écrit à chacun en leur précisant qu'il ne serait plus jamais leur intermédiaire, que le téléphone existait, même pour les parents divorcés. Ceux-ci ont bien reçu le message et se sont excusés de leur maladresse. Envoyer du courrier par l'intermédiaire de Nicolas était une façon, pour eux, d'évi-

ter de s'affronter tout en gardant un certain dialogue. Mais ce n'est pas aux enfants de jouer les messagers. Ce que vos parents ont à se dire les concerne et fait partie de leur vie privée. Vous pouvez très bien expliquer à vos parents que cela vous met dans une position délicate, que vous les aimez autant l'un que l'autre et que leur problème de couple ne peut pas interférer avec l'amour que vous leur portez.

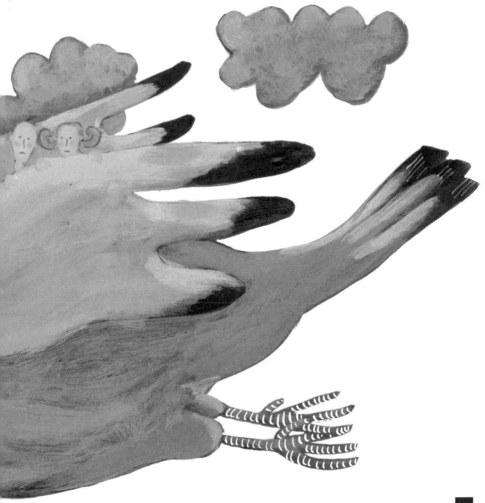

JE NE SUIS NI MON PÈRE, NI MA MÈRE, JE SUIS MOI !

Ce n'est pas parce que vos parents se sont séparés que tous les conflits sont résolus. Beaucoup de leurs problèmes ont pu être réglés mais il peut toujours rester quelques rancœurs, quelques regrets. La tension vécue dans ces moments-là fait qu'on a envie que se résolvent le plus rapidement possible les problèmes matériels. Restent les sentiments éprouvés ou non dits, la douleur de la séparation, et ce ne sont ni les jugements de divorce ni les résidences séparées qui apaisent les cœurs. Seuls le temps, les mots parviendront à cicatriser la peine.

Si vous vous sentez pris entre deux feux et que les phrases du genre : « Ta mère aurait pu t'acheter une paire de baskets » ou « Ça, c'est tout à fait ton père, il n'a jamais rien compris à l'éducation », quand ce n'est pas : « J'ai l'impression de voir ta mère quand elle me cassait les pieds » fusent un peu trop facilement à votre goût, dites-vous que leurs conflits ne sont pas encore épuisés et que vous servez de miroir à l'un et à l'autre.

Rien ne vous empêche de crier haut et fort, une bonne fois pour toutes : « Je ne suis ni mon père, ni ma mère, je suis moi! » S'ils ne comprennent pas, proposez-leur d'aller se confier à un psychologue ou à une tierce personne extérieure au conflit familial. Il existe, pratiquement dans chaque ville, des médiateurs habilités à recevoir les couples en désaccord. Ils les écoutent, les aident à se mettre d'accord sur les différents problèmes liés à leur séparation, notamment à propos des enfants.

MAUX ET MOTS

Depuis une semaine, Agathe se plaint de maux de ventre. Sa mère l'a accompagnée chez le médecin qui n'a décelé aucune maladie. Sébastien, quant à lui, n'arrive plus à trouver le sommeil. Très souvent, à quatre heures du matin, il s'assied dans la cuisine pour grignoter un morceau de chocolat. « J'ai plein de pensées qui me viennent à l'esprit. Et puis, j'ai peur, si je m'endors, qu'il n'arrive quelque chose pendant mon sommeil. »

Avoir mal à son corps, avoir mal dans sa tête, sont des réactions courantes du malaise que vous ressentez lors d'une séparation. Comme il est difficile d'exprimer par des mots tout ce que vous éprouvez et que, parfois même, vos sentiments sont contradictoires et diffus, votre corps et votre esprit réagissent en souffrant. Ils lancent un signal d'alarme et vous préviennent que la situation actuelle vous rend malade.

Soignez votre corps s'il souffre mais sachez aussi que les médicaments ne guériront pas les raisons profondes de votre douleur. Seuls les mots pourront panser votre corps, calmer cette angoisse qui est à l'origine des maux de tête, de ventre et autres troubles du sommeil.

Vous pouvez vous tourner vers des amis, des membres de votre famille en qui vous avez confiance. Mais ils ne seront pas toujours capables d'écouter sans prendre parti. Vous pouvez également demander à rencontrer une personne neutre, extérieure aux conflits familiaux, pour qu'elle vous écoute. Un psychologue pourra avoir cette écoute appropriée. Sans juger les uns ou les autres, puisque aucun lien ne l'unit à votre famille qu'il ne connaît pas (et qu'il n'entre pas dans ses fonctions de porter un jugement), celui-ci vous propose un lieu où l'on entend votre parole, où vous pourrez trouver une réponse, une solution aux questions et problèmes que vous vous posez.

Vous pouvez également voir une assistante sociale. Dans chaque collège, il y a des permanences. Après le divorce de ses parents, Julie est allée voir une psychologue : « Enfin, je pouvais dire ce que j'avais sur le cœur sans avoir l'impression de faire de la peine ou d'être méchante. Tout y est passé : la colère, les injures, les pleurs... Quand je sortais de ces séances, j'étais lessivée mais tellement soulagée. Depuis, je me sens mieux, et, surtout, je considère mes parents d'un autre œil. Ce qui se joue entre eux ne me regarde pas. Moi, je sais que je les aime tous les deux et que c'est réciproque ! »

PAS TERRIBLE,
LE NOUVEAU !

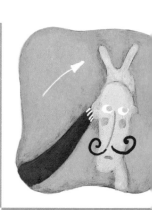

ENCORE
DES ENFANTS !

COMMENT TU
T'APPELLES ?

UN GRAND CHANGEMENT

CHACUN DANS SON RÔLE

DES FAMILLES À TIROIRS

À moins d'avoir quitté son conjoint pour une autre femme ou un autre homme, vos parents vont vivre quelque temps tout seuls. Tout d'abord parce qu'il leur faudra cicatriser quelques-unes de leurs blessures, reprendre confiance en eux. L'envie de recommencer tout de suite une vie de couple n'est pas nécessairement dans leurs priorités. Avant de fonder une nouvelle famille, il faut se reconstruire soi-même, réapprendre à s'écouter, à s'aimer pour devenir aimable pour les autres. Vos parents doivent accepter la perte de l'autre, faire le deuil d'une relation qui, pour eux, devait durer toute la vie.

Pour vous aussi, ces moments-là sont des périodes de récupération et de grand changement. Il vous faudra adapter votre relation avec chacun de vos parents au nouveau contexte. Pour cela, accordez-vous des moments d'intimité avec l'un ou l'autre, du temps que vous passerez à aller faire des courses, discuter, préparer un repas, retrouver des instants de paix, hors des conflits. Bien entendu, cela ne se passera plus de la même façon qu'avant. Chacun de vos parents retrouve sa manière de vivre, le style d'éducation qui correspond à sa personnalité et qu'il avait peut-être mis de côté sous couvert de compromis. Ce doit être une richesse pour vous : prendre le meilleur de ce qu'on vous offre, discuter avec eux des points de mésentente puisque, enfin, vous pouvez comparer différentes façons de vivre. Vous apprendrez à forger votre propre opinion et à choisir ce qui vous conviendra. Il va vous falloir aussi investir peut-être de nouveaux lieux, une nouvelle manière de vivre sans l'autre, une nouvelle organisation. Peut-être aussi votre mère ou votre père va-t-il vous charger de nouvelles responsabilités que, jusqu'à présent, vous n'aviez jamais été amené à prendre.

Aller chercher votre petite sœur à l'école, acheter la baguette ou mettre en route la machine à laver le linge sont autant de petites tâches qui soulageront le parent seul et vous aideront à devenir plus responsable d'une vie quotidienne qui vous concerne. Les problèmes financiers, s'il y en avait, vous passaient au-dessus de la tête. Vous en entendiez parler de temps en temps. Et puis, il y avait peut-être deux salaires à la maison ou bien l'un des deux avait une situation permettant de faire vivre toute la famille. D'ailleurs, vous ne vous étiez jamais vraiment posé la question de savoir comment tout cela fonctionnait! Désormais, vous prenez conscience qu'ils seront seuls à assumer le quotidien, même si le parent non gardien doit jouer son rôle à l'extérieur.

SE SERRER LA CEINTURE

Divorcer, c'est ne plus avoir qu'un seul salaire à la maison. En conséquence, certains parents réduisent le budget familial. Et ce, malgré la pension alimentaire. Ce n'est pas toujours facile à accepter quand on était habitué à aller au cinéma une fois par semaine et qu'il faut se restreindre à une fois toutes les trois semaines. Pour les vêtements, c'est pareil. Le petit tee-shirt, tellement mignon, que vous aviez repéré au Prisunic du coin ou une deuxième paire de tennis comme celle de votre copain Benjamin, ce sera pour l'année prochaine.

Vous ressentez de la colère, de l'amertume face à vos parents qui, décidément, se sont appliqués à bouleverser votre vie. Certains petits malins iront plaider leur cause chez l'autre parent, mais cela ne marchera pas à coup sûr. Encore un terrain sur lequel il vous faut réaménager votre manière de vivre. Parlez-en avec eux et essayez d'établir ensemble un budget concernant vos vêtements, vos loisirs.

Ne prenez pas ce changement comme une punition mais comme une possibilité de devenir plus responsable, plus conscient que l'argent ne tombe pas par miracle autour de vous. À vous de prendre les choses du bon côté et d'investir différemment les plaisirs et les loisirs. Au lieu d'acheter des livres, inscrivez-vous à la bibliothèque, et échangez des vêtements avec vos amis. Votre garde-robe s'en trouvera améliorée!

À CHACUN SES RÉACTIONS

Vos parents ne vont pas réagir de la même façon devant cette liberté nouvellement retrouvée. Certains choisiront de voir des amis, sortir, en profiter pour revivre une « seconde jeunesse ». Ils oublieront ainsi les moments difficiles qu'ils viennent de vivre et vous prouveront qu'ils ne se laissent pas abattre. Parfois plus épanouis dans leur vie de célibataire, ils partagent des activités avec vous, ce qu'ils ne faisaient pas lorsqu'ils vivaient en couple. Une complicité qui jusqu'à présent avait fait défaut commence à se nouer entre vous.

D'autres, a contrario, se sentiront abattus, sans énergie et auront tendance à se replier sur eux-mêmes. Ou deviendront des bourreaux de travail sans horaires et toujours stressés. Une façon pour eux de fuir leur vie quotidienne. Certains miseront tout sur leurs enfants. Leur vie privée, sentimentale,

MAMAN ?

PAPA ?

semble s'être arrêtée à la séparation. Vous vous sentez soudainement responsable de ce parent qui vous paraît si désemparé. Vous éprouvez un sentiment de culpabilité quand vous le laissez seul pour aller dormir chez une copine : « Ah bon, je vais être toute seule ce soir? Heureusement qu'il y a un bon film à la télé ! ». Mais ce parent vous donne un rôle que vous n'avez pas à tenir : remplacer l'autre absent, combler sa solitude. Certains parents peuvent avoir du mal à vivre seul, car ils n'ont peut-être jamais su encore apprivoiser la solitude. La présence d'une personne leur manque, le silence leur pèse. Ils ne savent pas comment occuper leur journée soudain vide de tout mouvement. Ils n'ont pas envie d'être seul pour aller au cinéma, se balader en forêt ou lire un bon policier.

Si vous êtes à l'âge où vous pouvez commencer à comprendre vos parents, les accepter avec leurs qualités et leurs défauts, vous êtes aussi à l'âge où vous êtes responsable de votre santé psychologique. Ce qui veut dire que vous n'avez pas à prendre la place du père ou de la mère absente, rôle artificiel et déstructurant parce que vous n'êtes plus alors à votre place d'enfant.

Le père de Clara a très mal vécu le départ de sa femme, l'éclatement de sa famille. Tout seul dans un studio, il déprimait. Quand Clara y allait le week-end, elle avait l'impression de s'occuper d'un

gros bébé, d'un petit frère. Elle l'aidait à faire ses courses, à repasser son linge, à trier ses papiers et écoutait ses plaintes jusqu'à une heure avancée. Un jour, elle a craqué : « Je n'en pouvais plus. J'avais l'impression d'être à la fois sa mère, sa sœur, une copine. Mais pas sa fille. J'étais engluée dans une situation qui me dépassait. J'en ai parlé à son meilleur ami qui a pris les choses en mains. Depuis, mon père et moi en avons parlé et il ne se confie plus de la même façon. En tout cas, moi, je respire et je commence à trouver du plaisir à passer un week-end chez lui. »

LE NOUVEAU

La première fois que vous avez appris que votre mère avait un fiancé, vous avez peut-être eu très peur. Décidément, ce sentiment d'abandon ne vous lâche pas! Quoi, elle va encore vous laisser tomber pour un autre qui n'a rien à voir avec votre famille, votre histoire. Mille et une questions vous assaillent : « Quelle va être la réaction de mon père? Va-t-il faire un scandale et débarquer un soir chez le nouveau couple? Y aura-t-il encore de nouvelles disputes entre mes parents? Dois-je annoncer à mon père l'arrivée de ce nouvel homme? » Ce n'est certainement pas à vous de résoudre ces problèmes, mais aux adultes concernés. Toutefois, en acceptant de voir ce nouveau venu, vous avez l'impression d'être déloyal envers votre père, de trahir sa

confiance. Et vous n'osez pas, non plus, exprimer à votre mère les doutes que vous ressentez : « Va-t-elle m'oublier totalement pour se consacrer entièrement à l'autre? Et cet autre, ne va-t-il pas tout faire pour me séparer de ma mère? » Les souvenirs des histoires de Blanche-Neige et de Cendrillon ne sont pas si loin. Vous échafaudez des plans infernaux : comment faire pour qu'ils se séparent très vite? Ne pas dire un mot au nouveau venu? Lui empoisonner la vie en refusant systématiquement tout ce qu'il propose puis critiquer chacune de ses paroles? Refuser de manger à la même table que lui? Vous pensez même pouvoir aller jusqu'à couper les ponts avec le parent traître. Ou alors, vous réagissez en vous drapant dans une superbe ignorance. Vous vous efforcez de lui prouver que sa venue ne change rien à votre vie.

Il arrive aussi que, secrètement, vous vous réjouissiez de cette liaison : « Enfin, je n'aurai plus ma mère sur le dos. Je n'aurai plus à écouter ses peines, ses reproches… »

Au fil des jours, elle retrouve sa gaieté, elle est plus détendue, heureuse de reprendre une vie sociale et amoureuse, et vous vous sentez soulagé. Ils sont de nouveau deux à partager les problèmes de la vie quotidienne : ils ont leur intimité, leurs discussions, leurs amis et leurs sorties, ce qui vous laisse respirer. Vous avez un poids en moins sur les épaules et la liberté de vivre votre propre histoire.

I l a bien fallu affronter cette première rencontre. Vous l'avez vu arriver de loin et vous avez peut-être pensé que jamais vous n'auriez choisi ce genre de personne. Trop petite, trop grosse, elle a un rire idiot et s'habille d'une façon grotesque. À travers le filtre de votre angoisse, rien ne vous échappe des petits défauts et des manies de cette nouvelle venue. Elle a l'air autoritaire et cela vous fait peur. Ou, au contraire, elle vous paraît molle et vous pensez réussir à la mener par le bout du nez. Elle peut aussi ne provoquer chez vous aucune réaction, si ce n'est de la méfiance, et vous préférez ignorer, pour l'instant, cette liaison. Parfois, au fond de vous, vous approuvez le choix de votre parent : la nouvelle est sympathique, drôle et plutôt belle. Mais cela, vous avez du mal à vous l'avouer dans

l'immédiat. De toute façon, jamais elle ne rempla-
cera l'autre parent dans votre cœur. Et vous êtes
bien décidé à le lui faire comprendre. Dites-vous
bien que, elle aussi, en retour, doit penser la même
chose. Elle ne compte sans doute pas devenir un
père ou une mère de remplacement.

Quels que soient vos sentiments, l'autre arrive
comme un intrus dans votre vie. Il dérange vos
habitudes. Que dire de cette personne, sinon
qu'elle aussi doit se sentir bien mal à l'aise et exa-
minée sur toutes les coutures ? Et vous aussi, vous
craignez son regard, son jugement. Sans compter
que votre parent, en vous la présentant, vous fait
passer une sorte de test. Cette première rencontre
entre des personnes qui se sentent gênées, obser-
vées, soucieuses que tout se passe le mieux possible, est rarement naturelle et détendue.

LE TEMPS DE SE CONNAÎTRE

C'est un moment à aménager. On n'apprend pas à se connaître en un après-midi. Au début, vous pouvez avoir quelques réticences, la peur qu'on s'immisce dans une partie de votre histoire. Comme avec de nouveaux élèves de votre classe, vous regardez cette nouvelle personne avec méfiance. Elle représente pour vous un avenir mystérieux. Et vous vous demandez si cette nouvelle relation est sérieuse, si elle va durer, si vous ne risquez pas de vivre une nouvelle séparation.

Rien ne presse, il faut prendre le temps de se connaître. Nouveau visage, nouveau caractère, un passé étranger au vôtre. Seuls le quotidien, les instants que vous vivez avec elle, peuvent créer les

premiers liens. Donnez-vous la permission de laisser vivre vos émotions : bonnes ou négatives, elles vous permettront d'intégrer le nouveau dans votre vie, d'y penser comme à une personne qui commence à faire partie de votre entourage. Vos sentiments négatifs ne sont pas à bannir, laissez éclater en vous la colère, la tristesse de vous sentir de nouveau abandonné, voire le ressentiment envers vos parents.

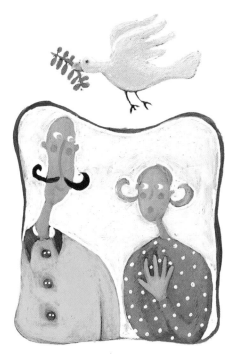

C'est à l'adulte aussi de faire preuve de patience et de tolérance. Si les rapports sont trop tendus, parlez-en à votre parent. C'est lui qui peut servir d'intermédiaire. Ou alors adressez-vous carrément au nouveau fiancé. Garder le silence ne peut qu'aggraver les choses : mettre en paroles ce qu'on ressent soulage et guérit.

Quand Alexandre a fait la connaissance du nouvel ami de sa mère, il l'a trouvé snob et tatillon.

Lui qui était habitué à l'ambiance bohème qui régnait chez ses parents a été très étonné de l'ordre qui existait dans son appartement. De plus, leurs discussions se limitaient à ses récits de parcours de golf et de repas avec de gros industriels. Jusqu'au jour où Alexandre lui a proposé d'aller manger au restaurant. Il a pu lui décrire son malaise. Depuis, les rapports se sont détendus. « Il m'a écouté d'une oreille attentive. Finalement, nous n'avons pas les mêmes goûts ni la même façon d'envisager la vie. Mais nous avons désamorcé un conflit sous-jacent. Comme je vis chez mon père, nous nous voyons seulement de temps en temps. Maintenant, nous nous tolérons et faisons chacun des efforts pour que tout se passe le mieux possible. »

ON S'APPRIVOISE

Que vos réactions soient positives ou négatives, rien de plus normal. Sachez toutefois qu'un adulte, pour être totalement heureux, a besoin d'un autre adulte. À eux deux, ils vont recréer une vie de famille et vous allez pouvoir prendre une nouvelle place d'enfant au sein d'un couple. Tant mieux, même si l'arrivée de ce beau-parent marque définitivement la fin de votre rêve caché et tenace de pouvoir réconcilier vos deux parents et qu'elle semble compromettre la relation privilégiée que vous aviez construite avec l'un d'entre eux.

Dans un premier temps d'adaptation, chacun va s'observer, essayer de trouver sa place. Rien ne peut vous obliger à aimer cette personne immédiatement.

La respecter ne signifie pas avoir de l'affection pour elle mais lui reconnaître le droit d'aimer votre parent et d'en être aimé. Vous lui donnez la place à laquelle elle a droit. Évidemment, cela va demander de faire des efforts.

Céline a regardé Paul un peu de travers lorsqu'il est arrivé dans l'appartement qu'elle partageait avec sa mère depuis cinq ans. Il lui a fallu pousser quelques vêtements pour lui laisser de la place dans les placards et éviter de mettre à fond les Spice Girls quand il regardait le « Journal de 20 heures ». Quant à lui, il a eu un peu de mal à accepter que la mère et la fille choisissent la salle de bains pour se raconter leur journée. Au début, il y a eu quelques frictions, des réflexions maladroites

ont fusé : « T'es pas mon père, t'as rien à me dire »,
avec la réponse bien sentie : « Eh bien, si je l'étais,
tu aurais reçu une claque depuis longtemps. » Au
bout de quelques semaines de négociations pas-
sionnées, de portes claquées et de mouchoirs
mouillés, chacun a appris à faire un peu plus atten-
tion à l'autre.

Il est nécessaire de prendre le temps de trouver le
rythme d'une nouvelle famille, d'établir les nouvelles règles de vie commune. Cela doit se faire
tous ensemble, chacun ayant la
possibilité d'exprimer ses désirs.

IL FAIT PARTIE DU PAYSAGE

Rien ne vous empêche de demander à votre parent de garder des moments où vous allez vous retrouver seul avec lui. Des heures privilégiées où vous pourrez pleinement profiter de celui-ci, désormais « accaparé » par le beau-parent. Ce peut être l'occasion de se remémorer des souvenirs (l'histoire du fou rire piqué quand tante Marthe a perdu son dentier lors d'un repas de famille ne fait pas nécessairement éclater de rire le nouveau conjoint), de démêler certains fils embrouillés de votre histoire, tout simplement de vivre des moments de tendresse et de complicité.

Et puis, petit à petit, une connivence pourra exister avec le beau-parent. Au fil des jours, des souvenirs vont se tisser et un passé commun va prendre forme. Proposez-lui d'assister à un de vos cours de danse ou de vous aider à finir un devoir d'anglais. Il se sentira flatté de la confiance que vous lui accordez et, un peu plus investi dans votre vie quotidienne, les « range ta chambre » et « as-tu mis le couvert » passeront mieux !

AI-JE TOUJOURS MA PLACE DANS CE NOUVEAU COUPLE ?

L'amour ne dépend ni des lois ni de papiers. La loi ne donne aucun droit au nouveau conjoint sur les grandes décisions vous concernant. Il n'existe aucun lien de sang entre vous et il n'a, sur un plan juridique, ni le devoir de vous nourrir, de vous loger, ni celui de vous éduquer et, en retour, vous ne lui devez rien. Au regard de la loi, vous êtes des étrangers l'un par rapport à l'autre et ce qui vous rapproche en premier lieu, c'est d'aimer la même personne. Aucun texte ne reconnaît de responsabilités et de devoirs des beaux-parents envers les beaux-enfants. Le remariage ne lie que les deux conjoints. Vous ne porterez jamais son nom ni n'hériterez de lui, sauf en cas d'adoption.

Vous gardez votre place de fils ou de fille, et lui prend celle de nouveau conjoint. Vous devez vous respecter l'un l'autre, et être conscient que vos rapports sont tout simplement fondés sur des rapports d'alliance. Vous n'avez pas choisi le nouveau conjoint de votre mère : il est tombé amoureux d'elle. Il n'est pas votre ami mais il peut le devenir. La relation qui va s'instaurer entre vous et cette personne sera investie de responsabilités éducatives, affectives que vous tous choisirez de prendre.

NOUVELLES HISTOIRES, NOUVEAUX LIENS

Vous avez donc deux familles : une biologique, une quotidienne. Vos noms de famille sont différents comme votre origine. Mais, avec cette nouvelle famille, vous allez créer d'autres histoires, de nouveaux liens d'affection.

C'est une nouvelle forme de vie de famille qui prend essor au sein de notre société. Tout reste à inventer. Pourquoi ne pas imaginer une sorte de compagnonnage beau-parent/enfant qui serait une acceptation d'un autre que vous n'avez pas choisi mais que la vie a mis sur votre chemin ? L'adulte et l'enfant se responsabiliseraient et s'engageraient l'un et l'autre, s'ils le désirent, à s'épauler, à se soutenir quand besoin est.

Si vos deux parents se sont remariés, il vous faudra vous adapter à deux nouveaux foyers qui seront peut-être très différents l'un de l'autre et n'auront aucune similitude ou complémentarité sur le plan éducatif et quotidien. Imaginez que les règles de vie soient à l'opposé chez les deux nouveaux couples! Chez votre mère, vous n'êtes pas obligé de vous mettre à table pour le dîner et chacun prépare son plateau-repas pour manger soit ensemble soit séparément.

Chez votre père, au contraire, il est préférable d'être à l'heure à table. Dans un premier temps, faites-vous préciser par les uns et par les autres les nouvelles règles de vie. Faut-il obéir au nouveau conjoint? Bien sûr, si vous êtes tombés d'accord sur les différentes règles régissant la maison. Si vous ne les respectez pas, il est en droit de vous reprendre. À vous de faire preuve de souplesse pour vous adapter à ces comportements différents. Mais toute règle peut être changée ou modifiée. Toujours à partir d'une discussion faisant référence à ce que vous ressentez, ce que vous vivez bien ou mal.

marâtre

NOMS ET SURNOMS

De la même façon qu'il existe un vide juridique dans ce qui vous lie avec votre beau-parent, il n'y a, dans notre vocabulaire français, aucune appellation pour désigner ces liens nouveaux. Le mot beau-père sera utilisé à la fois pour nommer le père d'un conjoint et pour nommer l'homme qui vit avec votre mère. Et vous n'êtes ni son fils ni sa fille. Comment peut-il vous appeler ? L'enfant de ma femme, ma belle-fille ? Oui, si vos parents se sont remariés mais c'est aussi un terme qui, à l'origine, désigne la femme de son fils. Dans la littérature, et notamment dans les contes de fées, on utilisait les mots « marâtre » et « parâtre ». Mais ces personnages avaient toujours un mauvais rôle et ce terme désignait des êtres méchants. De plus, ces appellations sont totalement tombées en désuétude. Vous ne pouvez pas non plus les appeler Papa, Maman. Ce ne sont pas vos parents. Alors, de plus en plus souvent, on emploie les prénoms. Mais certains psychologues et socio-logues se demandent si cela ne peut pas provoquer une confusion entre les différentes générations. Pour eux, l'usage des prénoms s'applique surtout aux per-sonnes d'une même génération. Pourtant, puisque aucun mot nouveau n'existe en France, c'est la solu-tion la plus utilisée. Toutefois, là aussi, vous pour-riez inventer et innover. Chercher des surnoms que vous seul utiliserez pour les nommer. Naturellement, vous trouverez ce qui vous convient le mieux.

ET EN PLUS, IL A DES ENFANTS !

ous avez déjà des frères et sœurs mais voilà que le nou-veau conjoint n'arrive pas tout seul : lui aussi a des enfants. Même si vous êtes tous pratiquement du même âge, vous n'avez pas été élevés de la même façon, vous n'avez pas vécu les mêmes choses.

Vous pouvez vous sentir menacé par ces nouveaux venus ou, au contraire, les considérer comme de nouveaux alliés face aux adultes.

Mais c'est encore un autre chamboulement à vivre. Il va falloir s'habituer à de nouvelles têtes, apprendre à partager et à vivre sous le même toit que des inconnus qui vous sont imposés. Comme

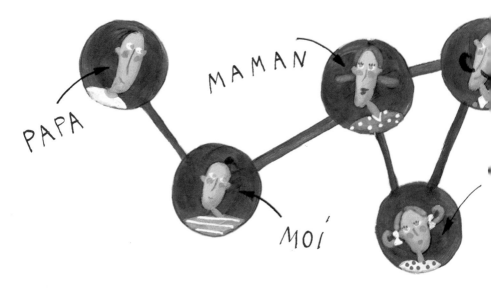

PAPA

MAMAN

MOI

pour le nouveau conjoint, personne ne vous demande de les aimer dès le premier regard. Ce ne sont ni votre frère ni votre sœur et vous avez le droit de ressentir de l'animosité envers eux. Ils prennent une place que vous n'aviez peut-être pas envie de partager et, juridiquement, ils ne sont rien pour vous. Les liens que vous allez pouvoir créer avec eux seront des liens d'amitié. Selon l'âge de ces nouveaux venus, vous risquez de perdre votre place d'aîné ou de cadet ou, au contraire, acquérir un nouveau statut. Il va falloir trouver une nouvelle place dans cette fratrie reconstituée.

Comment les présenter à vos copains? Les termes de « faux frère » et de « fausse sœur » ont une connotation péjorative : un faux frère est un traître. Ce ne sont pas non plus vos demi-frères ou demi-sœurs puisque vous n'avez ni le même père ni la

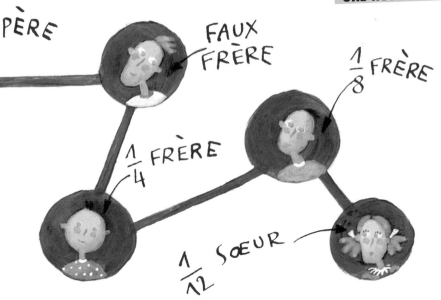

PÈRE

FAUX FRÈRE

$\frac{1}{8}$ FRÈRE

$\frac{1}{4}$ FRÈRE

$\frac{1}{12}$ SŒUR

même mère. Si vous vous entendez bien avec eux, vous aurez peut-être tendance à les appeler frère et sœur : les rapports affectifs entre les jeunes prédominent sur toutes les conventions. Si vos rapports restent froids, désignez-les comme enfants du nouveau conjoint de votre mère. Aucun mot n'a été encore inventé en France !

Il se peut que vous soyez obligé de partager votre chambre avec cette chipie de Pauline qui n'écoute pas du tout la même musique que vous et laisse traîner ses affaires partout. Dans ce cas, essayez de vous aménager deux coins bien séparés, où chacune pourra créer un endroit où elle se sent bien. Là aussi, il y a des règles de vie commune à établir et à respecter. Parlez-en ensemble sans mettre nécessairement les adultes dans la confidence. Cela vous concerne toutes les deux.

NOUVELLES NAISSANCES

C'est la conclusion de cette nouvelle histoire : l'envie d'avoir un bébé.

Cela vous trouble quand même un peu. Un nouvel intrus qui risque de prendre une place que, déjà, on a eu du mal à partager avec les autres. Et puis, vous remarquez que votre père a fait la tête lorsque votre mère lui a annoncé sa grossesse. Jalousie, s'il n'a pas lui-même refait sa vie, peur que vous ne deveniez de plus en plus attaché à cette nouvelle famille par le biais de ce nouveau lien. La mère d'Aurélie s'est arrangée pour qu'elle voit moins souvent son père et sa nouvelle femme enceinte. Il y avait toujours quelque chose de mieux à faire : des courses indispensables, une visite chez le dentiste, une grand-mère à aller voir. Elle avait très peur de perdre sa fille. Et Aurélie mourait d'envie de voir le nouveau bébé. Elle a dû ruser et inventer une invitation chez une amie pour pouponner sans se sentir mal à l'aise vis-à-vis de sa mère. En rentrant chez elle, Aurélie a montré des photos du nouveau-né à sa maman. Et celle-ci s'est rendu compte de l'importance de cette naissance pour sa fille.

Benjamin, désireux de protéger son père qui vivait seul, se souvient d'avoir interdit à sa mère de lui annoncer sa grossesse : « J'avais trop peur de ses réactions. J'étais sûr qu'il allait avoir de la peine. Jusqu'au moment où ma mère n'a pas pu le cacher et où mon père lui a reproché de ne pas le lui avoir dit avant. En fin de compte, il a très bien réagi. Il s'est réjoui pour moi de l'arrivée de ce nouveau bébé. Finalement, il a dû se dire que, lui aussi, il pourrait un jour refaire sa vie. »

LES LIENS FAMILIAUX DE DEMAIN

Vous vous êtes fait votre propre opinion sur la vie de couple : une opinion forgée par les expériences que vous avez pu observer autour de vous. Bien entendu, vous vous demandez si votre rêve d'un mariage qui durera toute la vie n'est pas une illusion. Qu'est-ce qu'une vie de couple si c'est pour se disputer et divorcer? N'existe-t-il pas une fatalité qui vous empêcherait, à votre tour, de construire un couple? Mais il n'y a ni hérédité ni fatalité. À l'adolescence, vous allez, vous aussi, vivre des ruptures avec votre petite amie, avec vos copains qui vous aideront à mieux comprendre et aborder les tours et détours de la vie.

Vous ne reproduirez pas le même couple que vos parents si vous êtes conscient de votre différence avec eux. Cette expérience du divorce vous aura peut-être appris à être autonome affectivement, à ne plus vivre dans une dépendance. Votre propre vie aura, elle aussi, ses embûches, ses moments de bonheur, ses remises en question. Mais ce seront les vôtres. Quant à ces familles à tiroirs que vous formez avec les nouveaux conjoints et leurs enfants, elles seront peut-être les fondements de la société de demain. Des familles où les tensions se dilueront plus facilement puisque les responsabilités sont partagées, des familles où il sera plus facile d'être soi-même puisqu'il n'y a plus un seul modèle parental mais plusieurs. Cela vous apportera une plus grande liberté, une plus grande richesse dans votre devenir d'adulte. Les pensées et les modes de vie autour de vous sont

variés. À vous de prendre dans ce qu'on vous offre ce qui vous convient et qui vous correspond. Et les souvenirs que vous êtes en train de vous fabriquer, même si certains sont douloureux, s'étoileront de fous rires, de grandes fêtes autour d'une tablée où des membres de familles différentes se réuniront pour, non pas former une famille traditionnelle, mais innover une nouvelle façon de vivre.

Merci à Carole Chegaray,
juge aux affaires familiales au tribunal
d'instance d'Évry, pour son aide précieuse,
sa patience et son amitié.

Merci à Anne Cadier,
psychologue,
pour son soutien et ses remarques pertinentes.

Merci à Lionnette Arnodin
pour sa lecture attentive et ses conseils judicieux.

◆ **TÉLÉPHONE UTILE :**

● SOS Enfance maltraitée : 0 800 05 41 41

Pour être assisté par un avocat, il faut s'adresser soit à l'ordre des avocats de sa ville, soit au Palais de Justice de sa ville, au département Antenne des mineurs. Il y a par ailleurs un juge pour enfants dans chaque tribunal de grande instance.

◆**Bibliographie :**

Ce Jeudi d'octobre
d'Anna Greta WINBERG (Le Livre de Poche).

Deux pour une
d'Erich KÄSTNER (Le Livre de Poche).

Divisé par deux
de Michel LUCET (« Page Blanche » chez Gallimard-Jeunesse).

La Fille de papa Pèlerine
de Maria GRIPE (« Folio Junior » chez Gallimard-Jeunesse).

Catherine Certitude
de Patrick MODIANO (« Folio Junior » chez Galli-mard-Jeunesse).

Nos Amours ne vont pas si mal
de Marie-Aude MURAIL (« Médium » à l'école des loisirs).

L'Île aux singes
de Paula Fox (« Médium » à l'école des loisirs).

Emma
de Sophie TASMA (« Médium » à l'école des loisirs).

Conception graphique et réalisation : Rampazzo & Associés.
ISBN : 2-7324-2387-4
Dépôt légal : avril 1998
Imprimé en Espagne par Fournier Artes Graficas.